MARTA Y MARÍA

© 1992 Publications International, Ltd.

Todos derechos reservados. Este libro no se puede reproducir o copiar, completo o en partes por cualquier medio impreso o electrónico, o para su presentación en radio, televisión o vídeo sin autorización escrita de:

Louis Weber, C.E.O.
Publications International, Ltd.
7373 North Cicero Avenue
Lincolnwood, Illinois 60646
U.S.A.

La autorización nunca se concede para propósitos comerciales.

Impreso en México

8 7 6 5 4 3 2 1

ISBN 1-56173-933-2

Escritor: Jaime Serrano

Ilustraciones: Thomas Gianni

Cubierta: Stephen Marchesi

Jesús siguió la misión que su padre Dios le había mandado. Caminaba a muchas ciudades predicando de Dios a la gente y sanando a los enfermos.

Los doce discípulos eran los ayudantes principales de Jesús. Estos eran Pedro, Andrés, Jacobo, Juan, Mateo, Felipe, Bartolomé, Tomás, Tadeo, Santiago, Simón y Judas. Los discípulos iban a todos los sitios con Jesús.

Pero Jesús tenía otros ayudantes también. Jesús sanó a algunas mujeres, y entonces ellas creyeron en Jesús y estaban bien agradecidas de Él. Y las mujeres ayudaron a Jesús y a sus discípulos, compartiendo con ellos de todos sus bienes, como comida, casa y ropa.

Una de las amigas de Jesús se llamaba María. Ella tenía una hermana llamada Marta y un hermano llamado Lázaro. Ellos vivían en la ciudad de Betania.

Ellos todos creían que Jesús era el Hijo de Dios y lo amaban mucho. Jesús también los amaba y pasaba mucho tiempo en la casa de ellos. A María le encantaba oír las enseñanzas de Jesús.

María no sólo compartía sus bienes con Jesús. También se sentaba a oírlo predicar en cada oportunidad. María llegó a aprender mucho de Dios.

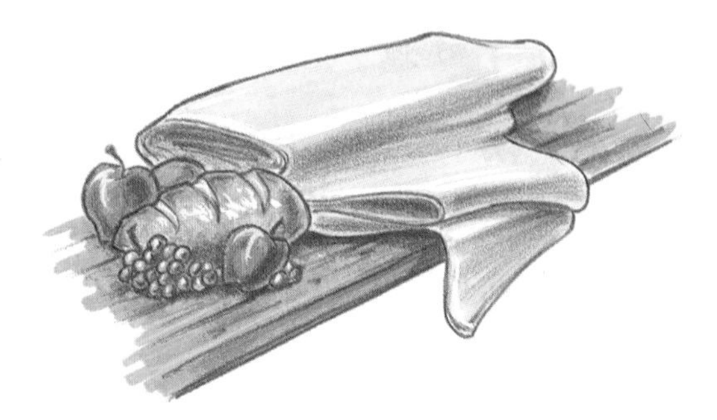

Un día Jesús y sus discípulos fueron a la casa de Marta y María. Las hermanas estaban muy contentas con la visita de Jesús.

Inmediatamente Marta se puso a limpiar la casa. Quería que todo estuviera perfecto para Jesús y sus discípulos. Buscó la mejor comida que tenía y comenzó a prepararla.

Mientras Marta preparaba todo, Jesús comenzó a hablar. Todos le prestaron atención. María también escuchaba a Jesús. Se sentaba a sus pies y le prestaba mucha atención. ¡Qué gozo para María poder escuchar a Jesús, el Hijo de Dios!

Mientras Jesús hablaba, Marta seguía con los arreglos de la casa y la comida. Estaba preocupada y apresurada con todas sus responsabilidades. Y vio que su hermana estaba sentada, escuchando a Jesús. Entonces Marta se enojó con María. Interrumpió a Jesús y le dijo:

—¡Yo estoy haciendo todo el trabajo sola! Pero mi hermana está sentada aquí contigo. ¡Por favor, dile que me ayude!

Pero Jesús le respondió:

—Marta, te preocupas mucho por la casa y comida. Pero María quiere escuchar mis palabras. ¡Eso es más importante!

Entonces Marta reconoció que es más importante aprender de Jesús que hacer otras cosas.

Un día cuando Jesús estaba predicando y sanando a los enfermos llegaron unos mensajeros de Betania. Marta y María le habían mandado a Jesús un mensaje que decía que Lázaro estaba muy enfermo. Las hermanas le pedían que viniera a sanar a Lázaro.

Cuando los discípulos oyeron el mensaje se entristecieron con las malas noticias. Pero Jesús dijo:

—Éstas no son malas noticias, porque yo haré un milagro y todos verán el poder de Dios.

Entonces Jesús mandó a los mensajeros que volvieran a Betania. Y Él se quedó allí y continuó predicando y sanando a los enfermos. Los discípulos no entendieron por qué Jesús no se fue a ver a Lázaro inmediatamente.

Después de dos días, Jesús decidió ir a Betania a ver a Lázaro. Y Jesús les dijo a los discípulos:

—Vamos a ver a Lázaro porque él ha muerto.

¡Cuando llegaron a Betania, encontraron que era verdad! Ya hacía cuatro días que Lázaro había muerto de la enfermedad que tenía.

La familia preparó el cuerpo de Lázaro de acuerdo con la costumbre de ellos. Ungieron el cuerpo con especias y lo envolvieron con sábanas y tiras desde la cabeza hasta los pies. Luego pusieron el cuerpo en una cueva que servía de tumba.

Muchos amigos de Lázaro vinieron desde Jerusalén para consolar a las hermanas. Marta y María todavía estaban muy tristes.

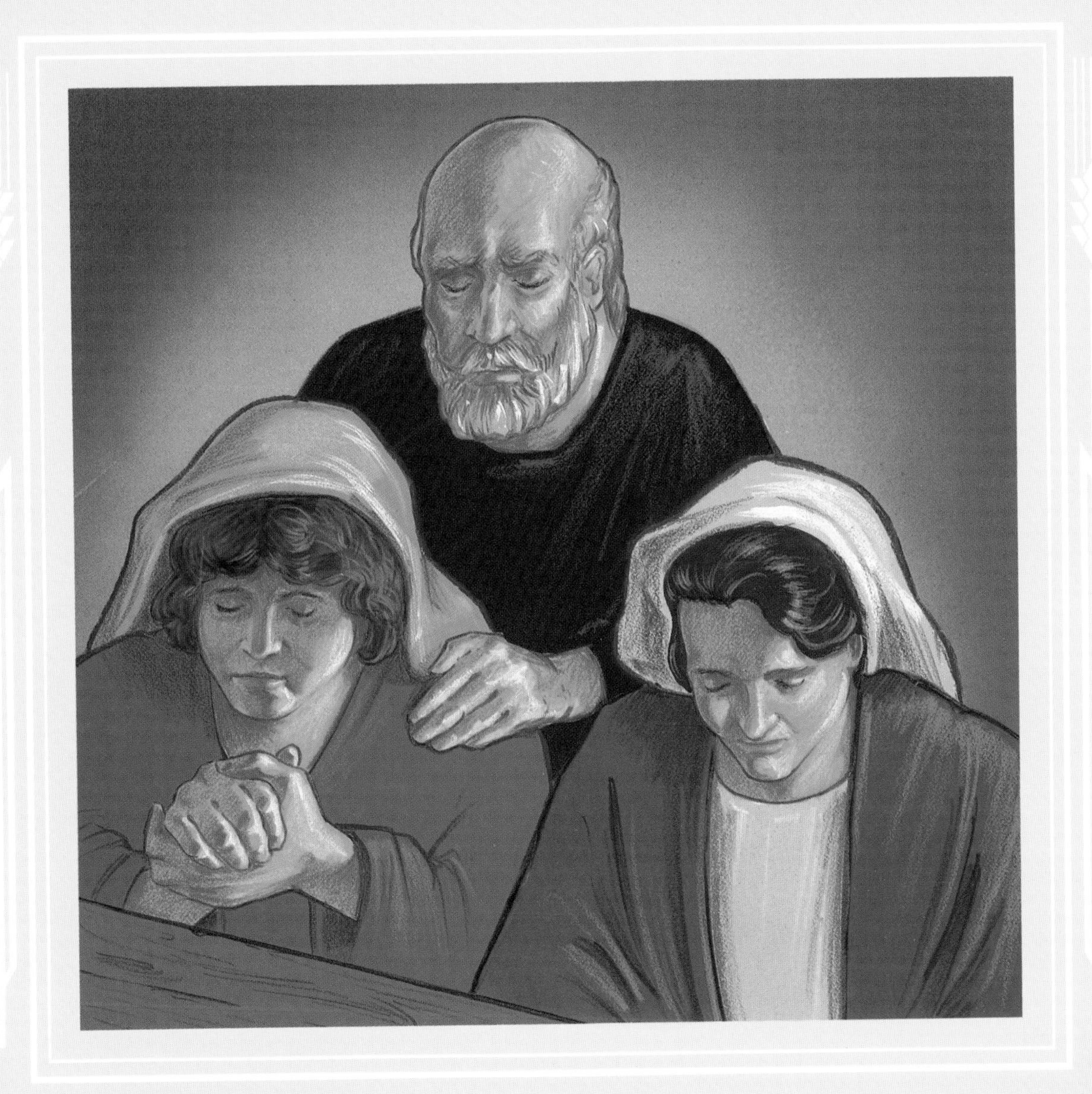

Cuando Marta y María vieron que Jesús había llegado a Betania, Marta le dijo:

—Jesús, si hubieras llegado más pronto, yo sé que habrías sanado a Lázaro.

Y Jesús le respondió:

—¡Lázaro vivirá otra vez! Porque yo soy Él que puede dar vida. Y los que crean en mí vivirán para siempre. ¿Tú crees esto, Marta?

Marta respondió que sí porque ella sabía que Jesús era el Hijo de Dios. Entonces María le dijo:

—¿Jesús, por qué no viniste más pronto?

Y con eso comenzó a llorar junto con los amigos de Lázaro. Viendo esto, Jesús lloró también.

Entonces Jesús pidió que lo llevaran a la tumba de Lázaro. Y llegando ellos allí, Jesús les pidió que quitaran la piedra grande que cubría la entrada de la cueva.

Cuando la piedra fue sacada de enfrente de la tumba, Jesús miró al cielo y oró a Dios. Terminando de orar, gritó:

—¡Lázaro, sal de la tumba!

¡E inmediatamente salió Lázaro de la tumba, envuelto todavía con sábanas y tiras desde la cabeza hasta los pies! Toda la gente se quedó asombrada. Muchos entonces creyeron que Jesús era el Hijo de Dios. Y Marta y María, ¡ahora estaban gozosas porque tenían a su hermano vivo otra vez!

Un día, Jesús y sus discípulos fueron a visitar a sus amigos Marta, María y Lázaro. María fue a su cuarto y tomó un vaso lleno de perfume puro. Este perfume valía mucho dinero.

En estos sitios era costumbre lavar los pies de los visitantes con agua y una toalla. Pero María lavó los pies de Jesús con el perfume puro, y luego los secó con su propio pelo. La casa se llenó del buen olor del perfume.

Jesús fue agradecido por este regalo especial, pero al discípulo Judas no le gustó. Dijo:

—¿Por qué se gastó tanto dinero en ese perfume? ¡Ese dinero podría ayudar a los pobres!

Judas dijo esto porque era un hombre avaro.

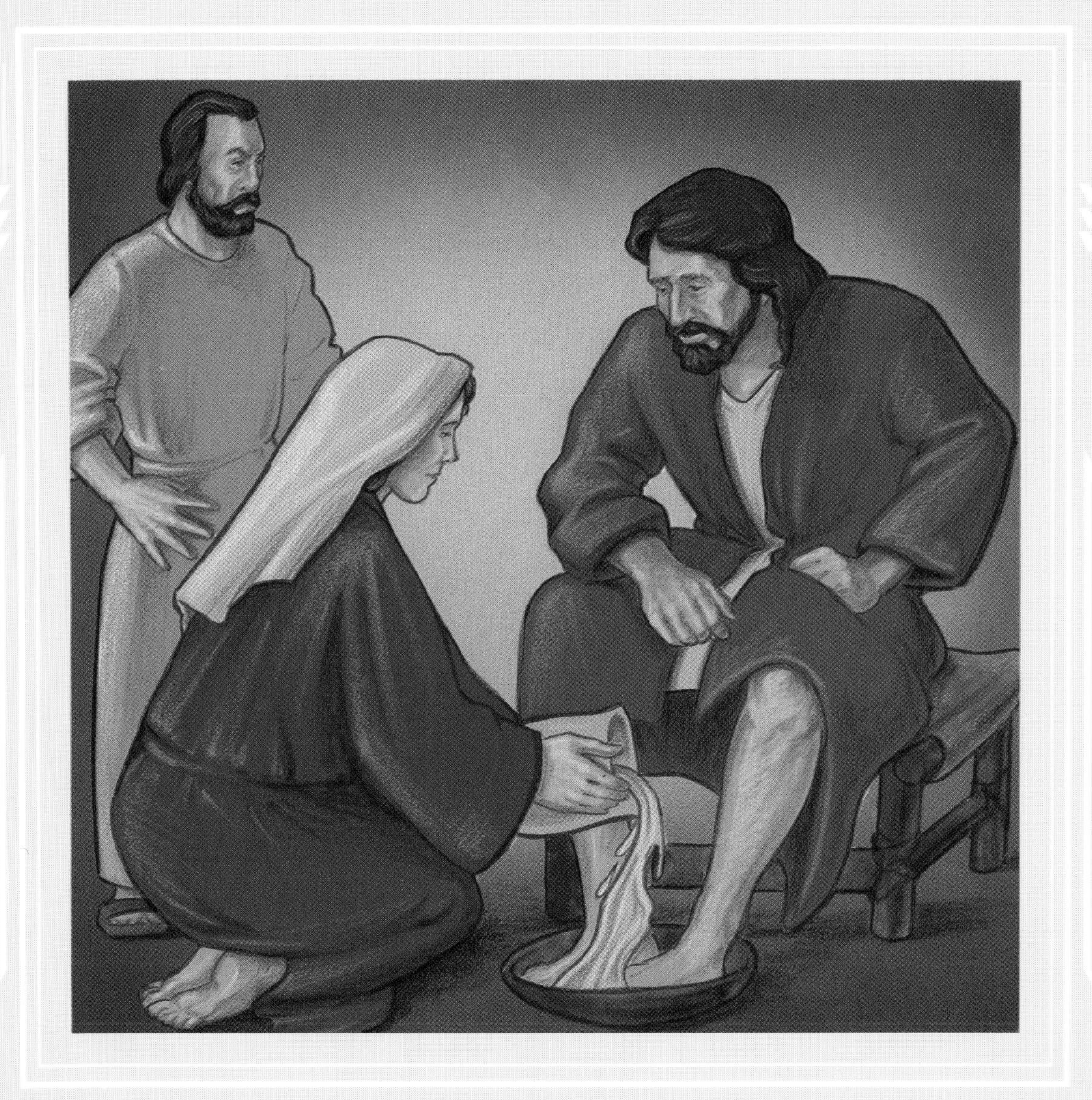

Jesús dijo:

—Judas, no critiques a María. Yo no voy a estar con ustedes para siempre pero siempre habrán pobres para ayudar. Jesús dijo esto porque en el futuro Él iba a volver al cielo con su Padre, Dios. Y a Jesús le agradeció el regalo especial de María porque mostraba que ella lo amaba mucho.